TABLE DES MATIÈRES

ISBN : 2-215-062-25-8
© Éditions Fleurus, 1999.
Conforme à la loi n°49-956 du
16 juillet 1949 sur les publications
destinées à la jeunesse.
Dépôt légal à date de parution.
Imprimé en Italie (02-03).

L'imagerie de l'histoire

Conception :
Émilie Beaumont

Texte :
Marie-Renée Pimont

Images :
M. I. A. Isabella Misso
Sophie Toussaint
Isabelle Rognoni

ÉDITIONS
FLEURUS

ÉDITIONS FLEURUS. 15-27, rue Moussorgski, 75018 PARIS

LA PRÉHISTOIRE

AU TEMPS DE LA PRÉHISTOIRE

Les premiers hommes vivaient de chasse, de pêche, de cueillette.
Si la nourriture manquait, ils partaient vers de nouvelles terres.

Après la chasse, les hommes regagnent leur campement. Les tentes
sont faites de branchages recouverts de peaux d'animaux.

L'homme pêche avec une longue
lance taillée en pointe.

Les lances des chasseurs de rennes
sont munies d'une pointe de silex.

Les hommes préhistoriques se réunissaient aussi dans des grottes. Puis ils ont bâti des villages, cultivé des champs et élevé des animaux.

Ces artistes se sont installés dans le fond de la grotte. Ils s'éclairent à la torche pour graver et peindre des dessins sur les parois. Ils représentent les animaux qu'ils chassent : chevaux, bisons, taureaux...

Ces hommes veulent s'emparer du village. Ils enflamment les flèches avant de les lancer sur les toits en paille des maisons de bois.

L'INVENTION DE L'ÉCRITURE

Les hommes ont gravé des signes sur la terre ou la pierre pour communiquer entre eux : l'écriture était née. Ce fut la fin de la préhistoire.

Un marchand prend une boulette de terre et un roseau. Il sait graver une tête de bœuf, une tête d'âne, un épi d'orge...
À côté, il dessine des bâtons ou des ronds pour indiquer le nombre. Ainsi, il se souviendra de ce qu'il achète ou vend.

Veux-tu tracer des signes, comme nos lointains ancêtres ?
Fais une galette de pâte à modeler. Avec un bâtonnet, grave ces dessins qui signifient : une tête de bœuf, six champs de blé, une femme et un enfant. Invente d'autres dessins !

L'ANTIQUITÉ

DANS L'ÉGYPTE ANCIENNE

Le pharaon était le roi d'Égypte. Son pays était riche grâce au travail des paysans, aux mines d'or et de pierres précieuses.

Tout Égyptien qui se présente devant le pharaon s'agenouille devant lui. Les paysans doivent lui donner une partie de leur récolte.

Le pharaon défile sur un char de guerre pour rappeler qu'il possède une armée puissante, souvent en conflit contre les pays voisins.

DES TEMPLES ET DES PYRAMIDES

Les Égyptiens vénéraient leur pharaon comme un dieu. Après sa mort,
ils plaçaient son corps au cœur d'une haute pyramide.

Lors des fêtes,
les statues des dieux
sont portées en
procession.
Les Égyptiens
apportent des
offrandes.
Ils interrogent les dieux
pour connaître l'avenir.
Si la statue s'incline
vers l'avant, la réponse
est oui. Si elle s'incline
vers l'arrière,
la réponse est non.

Des milliers d'ouvriers construisent les pyramides : tailleurs de pierres,
sculpteurs... Le chantier dure parfois plus de trente ans !

LES MOMIES

Les Égyptiens transformaient les corps des morts en momies. Ils les entouraient de bandelettes avant de les transporter dans des tombes.

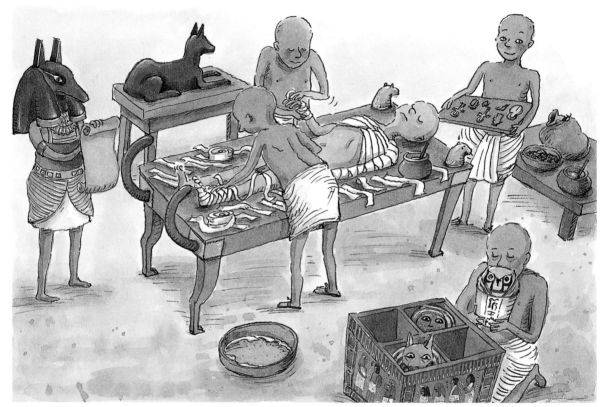

Le prêtre qui surveille l'embaumement porte le masque d'un dieu à tête de chacal. Des bijoux sont glissés dans les bandelettes.

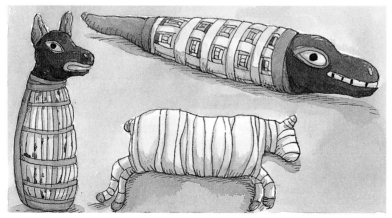

Dans les temples et dans les tombeaux, on a retrouvé beaucoup de momies d'animaux : les Égyptiens pensaient que les animaux accompagnaient leurs maîtres après la mort.

TOUTANKHAMON, L'ENFANT PHARAON

Toutankhamon est mort jeune. 3 200 ans après, des chercheurs ont retrouvé sa tombe, encore remplie de meubles et de bijoux précieux.

Toutankhamon devient le pharaon de l'Égypte à l'âge de neuf ans. Les gens du peuple le considèrent comme leur dieu. Des conseillers l'aident à gouverner. Il porte les symboles de la puissance des rois d'Égypte : le cobra en colère, le sceptre, le fouet.

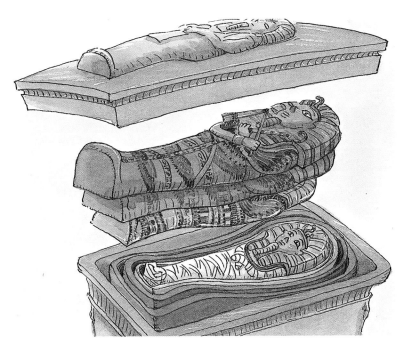

À sa mort, la momie de Toutankhamon est déposée dans des cercueils emboîtés, eux-mêmes abrités dans un grand coffre de pierre, le sarcophage . La tête est couverte d'un magnifique masque fait d'or et de pierres précieuses.

DANS UNE MAISON ÉGYPTIENNE

Voici la maison d'un riche Égyptien. Pour conserver la fraîcheur, la maison était blanche et ses ouvertures toutes petites.

Après avoir dormi au frais sur la terrasse, les enfants jouent au ballon. Un serviteur cuisine dehors, un autre s'occupe des animaux.

Les maîtres se faisaient servir de l'oie rôtie, des pâtisseries et des fruits.
Ils admiraient les femmes qui dansaient au son du luth et des tambourins.

Les jeux des petits Égyptiens ressemblent à ceux d'aujourd'hui,
mais les toupies, les pions, et même la poupée sont en terre cuite.

LA VIE AU BORD DU NIL

Les Égyptiens vivaient dans des villages bâtis le long du Nil, un des plus longs fleuves du monde. Le reste du pays était désertique.

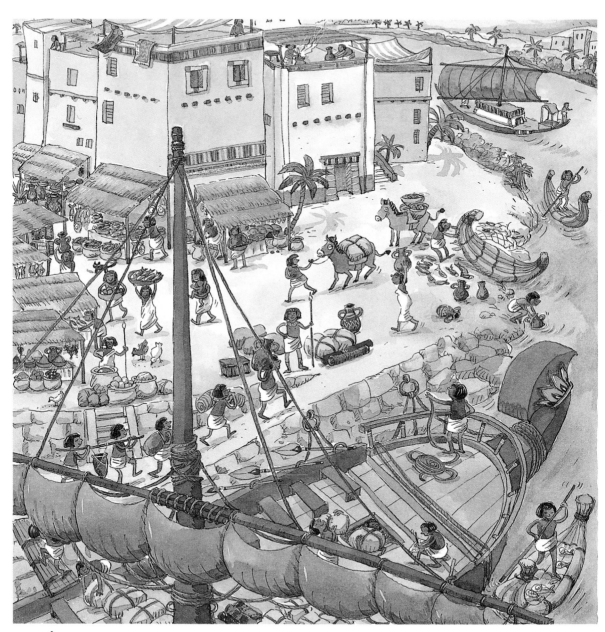

Les Égyptiens n'ont pas de pièces de monnaie ni de billets. Alors, ils échangent leurs marchandises, par exemple un gâteau contre un jouet.

Chaque printemps, l'eau déborde du lit du fleuve : c'est la crue.
Quand l'eau se retire, la terre est devenue riche et fertile.

Le blé est coupé et rangé à l'abri dans les greniers. Les ânes
transportent des paniers remplis de melons ou de concombres.

À L'ÉCOLE DES SCRIBES

Seuls les fils des princes et des scribes apprenaient à lire et à écrire les hiéroglyphes. Ce mot signifie « écriture sacrée ».

Chaque palette contient de l'encre rouge, de l'encre noire, des pinceaux, un grattoir, un lissoir. Les élèves écrivent sur des tablettes de calcaire recouvertes de plâtre. Les plus habiles ont droit à une sorte de papier fabriqué avec la fibre d'une plante : le papyrus.

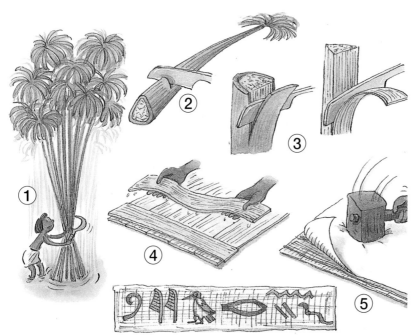

1. Les tiges de papyrus sont coupées.
2. L'écorce est ôtée.
3. L'intérieur est découpé en bandes.
4. Les bandes sont superposées.
5. Elles sont couvertes d'un linge et frappées jusqu'à ce qu'elles forment une seule feuille.

DANS LA CHINE ANCIENNE

Les premiers Chinois pensaient que leur pays occupait le centre de l'univers et que leur empereur était guidé par les puissances du ciel.

Un visiteur étranger s'incline devant l'empereur, yeux baissés.

Les Chinois se servent de baguettes pour manger le riz.

Cette famille vit en bateau et navigue sur les canaux.

Le médecin soigne en piquant des aiguilles très fines dans la peau.

LE PREMIER EMPEREUR DE CHINE

Il était puissant et cruel ! Il a fait édifier des palais somptueux.
Dans l'un d'eux, la salle à manger mesurait un kilomètre de long.

L'empereur a fait construire la Grande Muraille de Chine pour arrêter les envahisseurs. Les Chinois disent que chaque pierre a coûté la vie d'un homme ! Elle est si longue et si haute qu'on peut l'apercevoir depuis la Lune.

Auprès de sa tombe, on a retrouvé près de 7 000 statues de soldats. À l'époque, on pensait qu'ils protégeraient l'empereur dans l'au-delà. Il n'y a pas deux statues semblables. Chacune était peinte, mais les couleurs ont aujourd'hui disparu.

LES TRADITIONS CHINOISES

Le système d'écriture inventé dans la Chine ancienne est encore le même aujourd'hui. Et les Chinois élèvent toujours des vers à soie.

De très loin, des marchands étrangers parviennent en Chine pour acheter, contre de l'or ou des pierres précieuses, un tissu fabuleux, la soie, dont les Chinois détiennent le secret de fabrication. La soie est tissée avec le fil du cocon dont certaines chenilles, les vers à soie, se sont entourées pour devenir papillons.

Certains Chinois apprennent l'art de bien écrire : la calligraphie. Avec des bâtonnets, des pinceaux et de l'encre de Chine, ils reproduisent quelques-uns des milliers de signes appelés « caractères ».

23

UNE CITÉ GRECQUE

Les Grecs habitent un pays montagneux bordé par la mer. Dans les cités vivaient les hommes libres, leurs familles et des esclaves : des hommes que l'on pouvait acheter ou vendre.

Sur le marché, chaque boutique est tenue par une famille et ses esclaves. Cette dame choisira une poterie joliment décorée.

Les hommes libres s'appellent les « citoyens ». Ils se réunissent sur la grande place, l'« agora », pour discuter les nouveaux textes de lois.

Les Athéniens se rendaient souvent sur la colline de l'Acropole, qui domine la ville et sur laquelle étaient construits de nombreux temples. Ils portaient des offrandes à la déesse Athéna, protectrice de la ville.

Le plus grand des temples s'appelle le Parthénon. Sur l'autel de la déesse Athéna, les Grecs sacrifient des chèvres et des vaches.

Les Grecs organisent des concours de théâtre. Assis sur les gradins, ils écoutent les acteurs, dont le visage est caché par un masque.

DANS UNE MAISON GRECQUE

Les femmes et les fillettes des familles riches vivaient au premier étage de la maison, les hommes et les garçons au rez-de-chaussée.

Très jeunes, les filles apprennent à filer et à tisser la laine.

Les garçons portent une tunique courte, serrée par une ceinture.

La famille fait ses offrandes aux dieux sur l'autel de la maison.

Les enfants n'ont pas de savon. Ils se frottent avec de l'huile.

Les murs étaient décorés de motifs peints : les fresques. Le mobilier était simple. Pour manger, on s'allongeait confortablement sur des divans.

Les Grecs les plus riches organisent des repas de fête, les banquets. Les seules femmes présentes sont des danseuses ou des musiciennes.

Pour sortir, les Grecs portent un manteau sur leur longue tunique.

Les Grecs marchent pieds nus ou portent de simples sandales.

LES ÉCOLIERS

Les filles restaient à la maison. Seuls les fils des hommes riches allaient à l'école. Sport, musique et poésie n'étaient pas oubliés !

L'esclave qui conduit l'enfant à l'école s'appelle le pédagogue.

Les jeunes Grecs apprennent à lire, à écrire et à jouer de la lyre.

Le fils du potier fera le métier de son père. Il n'ira jamais à l'école.

Dans le gymnase, les plus grands s'entraînent à la lutte et au saut.

DIEUX ET HÉROS GRECS

Les Grecs croyaient en l'existence de nombreux dieux. Ils les célébraient lors des processions et des compétitions sportives.

Voici Zeus le roi des dieux, la déesse de la sagesse Athéna, le dieu de la mer Poséidon, Apollon le dieu de la lumière et des arts.

Héraclès est un héros courageux. Il a même dompté un lion furieux.

Attaché à son mât, Ulysse résiste aux appels d'étranges créatures.

LE LABYRINTHE DU MINOTAURE

On raconte que le roi de Crète, Minos, tenait le Minotaure,
un être mi-homme mi-taureau, enfermé au centre d'un labyrinthe.

Chaque année, les Athéniens doivent livrer quatorze jeunes Grecs au
Minotaure, qui les dévore. Cette fois-là, Thésée les accompagne.

Ariane, la fille du roi, remet à Thésée du fil qu'il déroule dans le labyrinthe
pour ne pas se perdre. Thésée tue le Minotaure et sort en suivant le fil.

LES MARINS GRECS

Les Grecs étaient de bons marins. Ils partaient très loin chercher des marchandises. Des navires de guerre les protégeaient des pirates.

Ce bateau de guerre avance grâce à ses voiles et à ses nombreux rameurs. Un homme, sur le pont supérieur, donne le rythme.

En échange des poteries et des bijoux, les marins grecs rapportent du vin et de l'huile dans de grands pots en argile, les amphores.
À l'arrivée des bateaux, les marchands s'installent sur le port, près des étals des pêcheurs.

LES JEUX OLYMPIQUES

Tous les quatre ans, des jeux se déroulaient dans la cité d'Olympie, en l'honneur des dieux. Les guerres entre cités s'arrêtaient.

Les athlètes se mettent sous la protection du dieu Zeus, et défilent devant son autel.

Sous les cris des spectateurs, les coureurs parcourent un tour de stade.

La course en armes est une des nombreuses épreuves des Jeux, qui apportent la gloire au vainqueur.

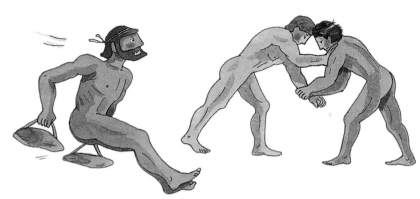 

Les poids aident l'athlète à garder son équilibre pour le saut en longueur.

Chaque lutteur essaie de faire tomber son adversaire sur le sol et de l'immobiliser.

Le juge remet solennellement au vainqueur une couronne d'olivier.

UN VILLAGE GAULOIS

Autrefois, la France s'appelait la Gaule. Les Gaulois construisaient des maisons en bois et en torchis, un mélange de paille et de terre.

DANS UNE MAISON GAULOISE

La maison ne comportait qu'une seule pièce. Les Gaulois dormaient sur des peaux de bêtes posées à même le sol ou sur des banquettes.

La maman tisse une couverture de laine pendant que les enfants jouent aux osselets ou à la poupée. Le repas cuit dans le chaudron.

Ce bébé a été emmailloté puis couché dans un berceau de bois.

Pas de réfrigérateur ! On sale la viande pour la conserver.

TRAVAILLER AU VILLAGE

À la fin de l'année, le druide coupait le gui avec une serpe. Encore de nos jours, au nouvel an, on s'embrasse sous une boule de gui !

Le druide est le grand prêtre et aussi le médecin du village.

Pour labourer son champ, le paysan attelle des bœufs à la charrue.

Avec le bois, on se chauffe, on fabrique le mobilier et les boucliers !

Le chasseur rapporte du gibier ou parfois traque le loup qui rôde.

FÊTES GAULOISES

Les Gaulois organisaient souvent des banquets. Ils se régalaient en mangeant du sanglier accompagné de vin ou d'une bière, la cervoise.

Pour accompagner ses poèmes et ses chants, le barde joue de la lyre. Les Gaulois aiment ses histoires de guerre ou de chasse.

Les Gaulois sont d'excellents cavaliers. Ils s'exercent dès leur plus jeune âge. Devenus grands, ils s'affrontent dans des courses de chars.

VERCINGÉTORIX, UN CHEF COURAGEUX

Vercingétorix s'est battu contre les envahisseurs romains,
mais il a perdu. Alors, la Gaule est devenue romaine.

Pour se protéger,
les guerriers gaulois
portent une cotte de
mailles, un casque et
un grand bouclier en
bois de forme ovale.
L'épée est fixée
à la hanche droite.
Ils brandissent une
longue lance de fer.
Certains combattent
à cheval.

Après sa défaite à
Alésia, Vercingétorix
jette ses armes aux
pieds du Romain Jules
César en signe de
défaite. Pour prouver à
tous qu'il est le
vainqueur, César fait le
tour de la Gaule avec
son prisonnier.
Puis il l'emmène à
Rome et l'enferme dans
un cachot pendant
six ans.

UNE CITÉ ROMAINE

Les Romains ont conquis un immense territoire. De nos jours, Rome n'est plus la capitale d'un empire mais d'un pays appelé l'Italie.

C'est jour de marché. Des esclaves sont enchaînés sur une estrade installée au milieu des étalages. Ils seront vendus au plus offrant.

Si les esclaves se montraient fidèles et travailleurs, les maîtres acceptaient de leur rendre la liberté au bout de quelques années.

Les Romains se rendent souvent aux bains publics. Ils y prennent des bains d'eau froide, d'eau tiède, ou des bains de vapeur.

Les Romains construisent un arc de triomphe après une victoire.

Sur une grande place, le forum, les citoyens parlent de la cité.

UNE BELLE MAISON ROMAINE

Les Romains très riches avaient de belles maisons à la ville et des villas à la campagne. Mais la plupart vivaient en appartement.

Une façade donne sur la rue. Un boulanger s'y est installé. Les murs extérieurs n'ont pas de fenêtres, les voleurs ne peuvent pas entrer.

Pendant les banquets, entre les entrées et les desserts, on proposait aux invités jusqu'à sept plats différents !

La jeune femme se maquille et se parfume. Elle porte un collier en or et de jolies boucles d'oreilles.

Les hommes portent des tuniques courtes qu'ils recouvrent d'une toge, les femmes des tuniques longues et un châle.

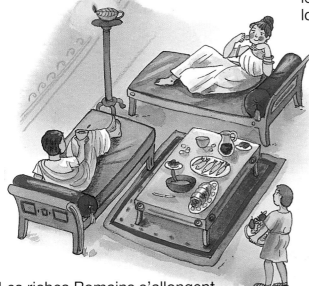

Les riches Romains s'allongent sur des divans pour prendre leur repas. Ils sont servis par des esclaves.

Une jeune fille chante en s'accompagnant de sa lyre.

LES JEUX DANS L'ARÈNE

Le Colisée était un immense amphithéâtre. On y assistait aux spectacles offerts par l'empereur ou par de très riches Romains.

Assis sur des sièges en pierre disposés en gradins, les Romains se passionnent pour les spectacles d'animaux venus de pays lointains. Parfois, les animaux sont laissés sans nourriture pendant plusieurs jours et ils se battent à mort dans l'arène.

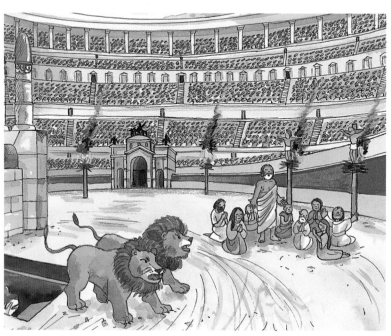

Les criminels ou les personnes qui osent s'opposer à l'empereur sont parfois livrés aux lions affamés sous les regards des spectateurs. Parfois, des chrétiens qui ne veulent plus croire aux dieux romains sont condamnés au supplice.

Des foules venaient voir les gladiateurs se battre entre eux.
Les Romains se passionnaient aussi pour les courses de chars.

Le conducteur, appelé « aurige », conduit un petit char à deux roues
que tirent des chevaux rapides. Il parcourt sept tours de piste.

Les gladiateurs sont souvent des prisonniers de guerre. Quand
l'empereur lève le pouce, c'est que le perdant a la vie sauve.

À L'ÉCOLE

Garçons et filles des familles riches allaient à l'école jusqu'à environ douze ans. Puis les garçons continuaient à étudier avec un professeur.

Un enfant compte sur un boulier. Un autre grave des lettres sur une tablette de cire. D'autres encore lisent sur un rouleau de parchemin.

Ce jeu qui passionne les garçons est l'ancêtre du jeu de dames.

Ces enfants jouent au cerceau, lancent des dés et des osselets.

L'ARMÉE ROMAINE

Les soldats restaient dans l'armée pendant vingt ans. Ils gagnèrent beaucoup de batailles et l'empire romain devint immense.

Le légionnaire se protège avec un casque, une cuirasse, un bouclier.

Les navires de guerre protègent les côtes de tout l'empire.

La catapulte projette de grosses pierres dans le camp ennemi.

Les soldats sont protégés de tous côtés : ils font la tortue !

UN POISSON EN MOSAÏQUE

Amuse-toi à créer une mosaïque décorative comme le faisaient les romains.

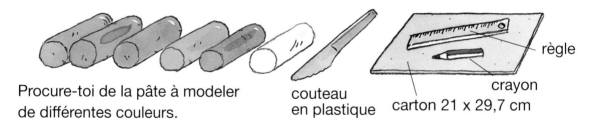

Procure-toi de la pâte à modeler de différentes couleurs.

couteau en plastique

carton 21 x 29,7 cm

crayon

règle

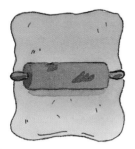

Étale de la pâte à modeler de façon à obtenir une surface plate et épaisse de 5 mm.

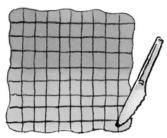

Aidé par un adulte, découpe avec un couteau des carrés de 1 x 1 cm.

colle

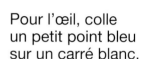

Fais de même pour les autres couleurs.

Pour l'œil, colle un petit point bleu sur un carré blanc.

Sur le carton, dessine le quadrillage en faisant des carrés de 1 x 1 cm. Numérote les carrés situés sur les côtés. Place et colle les différents carrés de couleur en t'aidant du modèle et des chiffres.
Exemple : ligne 1 – colonne 1 = jaune.
Découpe le carton dépassant des bords et laisse sécher.

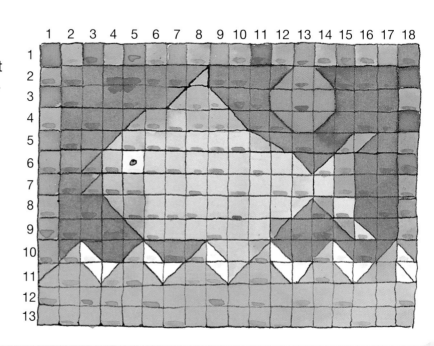

LE PEUPLE HÉBREU

Leur histoire est racontée dans la Bible, le livre du « peuple de Dieu ».
Ils sont les premiers à croire en un seul Dieu.

L'ancêtre des Hébreux, Abraham, écoute la voix de Dieu, qui lui demande de partir avec sa tribu.
Il marche jusqu'en Palestine. Plus tard, poussés par la famine, les Hébreux gagnent l'Égypte. Ils y vivent heureux jusqu'à ce qu'un pharaon les maltraite.

Moïse entend la voix de Dieu, qui lui demande de conduire le peuple hébreu hors d'Égypte.
Alors qu'ils campent devant la mer, les Égyptiens les rattrapent. Moïse lève son bâton, les eaux se séparent et les Hébreux passent à pied sec.

La Palestine où s'installèrent les Hébreux fut souvent envahie.
Beaucoup partirent pour l'étranger. Ils continuèrent à pratiquer
leur religion, le judaïsme.

Après avoir traversé le désert, les Hébreux arrivent en Terre promise. Ils vivent en douze tribus. Chacune est dirigée par un chef. Longtemps après, David devient le roi d'Israël. Son fils Salomon fait construire le temple de Jérusalem.

Dans les récits de la Bible, les prophètes annoncent la venue d'un Messie, qui sauvera le peuple hébreu. Les chrétiens le reconnaîtront en Jésus, né à Bethléem. Dans tous les pays chrétiens, l'an 1 de l'Histoire correspond à la naissance de Jésus.

LE MOYEN ÂGE

CLOVIS, ROI DES FRANCS

Après avoir été sous domination romaine, la Gaule fut occupée par plusieurs peuples. Le père de Clovis était le roi des Francs.

À la mort de son père, Clovis a quinze ans. C'est un excellent guerrier. Devenu roi des Francs, il remporte sa première grande victoire à Soissons contre le dernier chef romain encore en Gaule. Celui-ci est chassé et Clovis gouverne tout le nord de la Gaule.

Après la bataille, Clovis réclame un vase à un soldat, qui refuse et brise le récipient avec sa hache. Un an plus tard, Clovis reconnaît le soldat. Il lui dit que ses armes sont mal entretenues. Puis il lui fracasse le crâne avec sa hache en déclarant : « Souviens-toi du vase de Soissons ! »

Clovis décida que seuls les fils des rois des Francs pourraient devenir roi à leur tour. Les filles de roi ne seraient jamais couronnées reines.

Clovis épouse Clotilde, qui l'encourage à devenir chrétien et à ne plus croire aux dieux des Francs. L'évêque Remi baptise Clovis à Reims.

Clovis agrandit son royaume en chassant les petits souverains.
Il sera enterré à Paris, la ville qu'il a choisie comme capitale.

L'EMPEREUR CHARLEMAGNE

Tous les hommes devaient à Charlemagne obéissance et fidélité.
Ses envoyés veillaient à ce que les lois soient connues et respectées.

Charlemagne combat pour
agrandir son territoire.

Il se fait couronner empereur de
l'Occident par le pape en l'an 800.

Charlemagne fait installer
des écoles près de ses palais.

Il encourage les moines à écrire
et à illustrer de beaux manuscrits.

LES VIKINGS

Les Vikings étaient de terribles guerriers. Ils quittaient souvent leurs terres du Nord pour attaquer et voler les pays riches.

Le village est entouré de prés et de champs. Les toits des maisons sont couverts de mottes d'herbe. La plus grande maison est celle du chef.

Pour faire la guerre, les Vikings se déplacent grâce à des bateaux légers, les drakkars. Pour transporter des marchandises, ils préfèrent de gros navires. Ils savent se diriger grâce au soleil et aux étoiles. On dit qu'ils ont navigué jusqu'en Amérique !

UN VILLAGE AU MOYEN ÂGE

Les paysans vivaient près du château. La terre qu'ils cultivaient appartenait au seigneur. Ils lui donnaient une partie des récoltes.

château fort

moulin à vent

Les paysans portent le blé à moudre au moulin.

Le toit est en chaume.

LES PREMIERS CHÂTEAUX FORTS

Au début du Moyen Âge, les seigneurs ont construit des tours en bois.
Puis ils ont utilisé des pierres pour bâtir des remparts et des donjons.

La tour de bois est élevée sur une motte de terre, près d'une rivière. Elle est entourée de hautes palissades de bois. Des fossés sont creusés tout autour et remplis avec l'eau de la rivière.
Si des brigands arrivent, les paysans trouvent refuge derrière les palissades.

Le château est agrandi. Une première palissade abrite la basse-cour, où vivent les animaux. La tour où logent le seigneur et sa famille se trouve à l'abri derrière la seconde palissade : c'est le donjon. En cas d'attaque, on enlève l'escalier qui monte dans la tour.

À L'ATTAQUE DU CHÂTEAU FORT !

Cherche ce qu'utilisent les habitants du château pour se défendre :
un chaudron d'huile bouillante, des arcs, des lances, des haches.

Cherche ce qu'utilisent les attaquants : une tour roulante, des boucliers, des flèches enflammées, des pierres, des échelles.

LA VIE DE CHÂTEAU

Les princes et les seigneurs aimaient les chants, les danses, les jeux de société... mais aussi la chasse et les bons repas !

Les femmes se rassemblent pour filer et tisser la laine.

De nombreux serviteurs cuisinent viandes et légumes.

Hommes et femmes jouent au jeu de dames et aux échecs.

Les musiciens donnent le rythme aux danseurs qui font la ronde.

Les pauvres paysans n'avaient pas le droit de prendre du gibier sur les terres des seigneurs, sinon ils étaient punis.

Un seigneur poursuit un cerf, aidé par sa meute de chiens. Un autre lance son faucon pour qu'il rapporte du petit gibier.

Un grand festin suit la chasse. Le seigneur mange dans une écuelle d'argent. Les convives moins fortunés posent leur viande sur une large tranche de pain, puis ils jettent les os par terre ! On se sert d'un couteau, mais les fourchettes n'existent pas.

LES CHEVALIERS DU MOYEN ÂGE

Quand ils ne faisaient pas la guerre, les chevaliers participaient à des tournois organisés dans les châteaux par les seigneurs.

Sous la cuirasse, le chevalier porte une cotte de mailles. Un heaume protège sa tête. Des gantelets couvrent ses mains. Il porte des souliers en métal, les solerets. Le corps et la tête du cheval sont également caparaçonnés.

Le chevalier prête serment : il promet de rester fidèle à son seigneur.

Les chevaliers se battent à cheval ou au corps à corps.

UN TOURNOI

Les chevaliers montaient des chevaux dressés pour la guerre. Les plus riches entraînaient des chevaux uniquement pour les tournois.

Les chevaliers sont séparés par une barrière, la lice. Le vainqueur sera celui qui parviendra à mettre son adversaire à terre.

Les chevaliers qui perdent le combat remettent une rançon au vainqueur : leur armure ou même leur cheval ! Parfois, cela représente toute leur fortune… Le seigneur offrira aussi une belle récompense.

UNE VILLE AU MOYEN ÂGE

Les villes du Moyen Âge sont souvent construites au bord des fleuves. Elles sont entourées de murs qui surplombent des fossés.

Les habitants qui possédaient une belle maison étaient appelés les « bourgeois ». Les pauvres habitaient des mansardes, sous les toits.

LES CATHÉDRALES

Ce sont des églises où officient les évêques. Au Moyen Âge, toutes les sculptures étaient peintes. Les couleurs se sont peu à peu effacées.

Pendant des années, des sculpteurs, des tailleurs de pierre, des charpentiers... travaillent à la construction d'une cathédrale. Plus tard, les pèlerins qui viendront y prier apercevront ses flèches à plus de dix kilomètres !

À l'intérieur d'une cathédrale, la lumière est très belle. Les rayons du soleil passent à travers les vitraux, des fenêtres aux vitres multicolores. Les chrétiens apprennent les récits de la Bible en observant les scènes représentées sur les sculptures et les vitraux.

NOTRE-DAME DE PARIS

Sur le parvis, les Parisiens faisaient parfois la fête. Mais, au-dessus du portail, les figures des saints et des anges montaient la garde !

Les spectateurs écoutent l'histoire : les bons iront au paradis tandis que les méchants périront dans le chaudron du Diable !

FABRIQUE TOI-MÊME UN VITRAIL

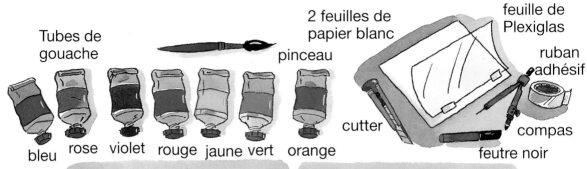

Tubes de gouache

pinceau

2 feuilles de papier blanc

feuille de Plexiglas

ruban adhésif

cutter

compas

feutre noir

bleu rose violet rouge jaune vert orange

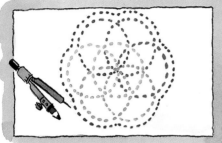

Sur une feuille blanche, dessine des rosaces comme sur le modèle. Observe-le bien : on a donné une couleur à chaque rond pour t'aider.

Place le Plexiglas sur la feuille et colorie la rosace avec le pinceau, en suivant le modèle de couleur. Quand la peinture est sèche, dessine au feutre sur le Plexiglas les traits du compas.

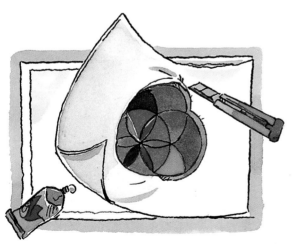

Dans l'autre feuille blanche, découpe la même forme et colle-la par-dessus la feuille de Plexiglas.

Tu peux en réaliser plusieurs. Colle-les sur les carreaux de ta fenêtre, cela fera un bel effet avec le soleil.

LES CROISADES

Le pape dit aux chrétiens de chasser les musulmans, qui empêchaient les pèlerins d'aller en Palestine prier sur le tombeau de Jésus.

Des chevaliers, et ensuite des rois, partent en croisade. Les soldats sont appelés les « croisés ». Ils portent une croix sur leurs habits. Les chevaliers chrétiens sont armés d'une lance et d'une épée. Ils se battent contre les musulmans, qui manient le sabre et le poignard.

Jérusalem est plusieurs fois conquise puis perdue. Bien des aventuriers se joindront aux soldats pour aller faire fortune.

LOUIS IX OU SAINT LOUIS

Il a gouverné dès l'âge de onze ans, conseillé par sa mère,
la reine Blanche. Il était si bon qu'après sa mort il fut proclamé saint.

Des moines lui apprennent à lire et
à écrire. Il fait beaucoup de sport.

Le voici avec la reine Marguerite
et l'un de leurs onze enfants.

Le roi s'installe sous un chêne et
écoute les plaintes de ses sujets.

Il part en croisade. Les musulmans
le garderont deux ans en prison.

MARCO POLO

Il est né à Venise. Son père et son oncle parcouraient l'Asie.
Ils y achetaient des produits précieux inconnus en Europe.

Le pape lui confie des messages
pour le chef des Mongols.

Marco a dix-sept ans. Il part avec
son père pour la Chine.

Chez le Grand Khan, il apprend
la langue des Mongols.

Marco fait le récit de ses voyages
dans le « Livre des merveilles ».

JEANNE D'ARC

Depuis cent ans, une guerre opposait les Français aux Anglais.
C'est alors qu'une jeune bergère vint en aide au futur roi de France.

Alors qu'elle garde les moutons, Jeanne entend des voix d'anges
et de saints qui lui demandent de partir chasser les Anglais.
Elle rencontre le dauphin Charles, qui lui fait confiance.

Par ruse, elle délivre la ville d'Orléans. Elle conduit le futur roi
jusqu'à Reims où il devient Charles VII. Mais Jeanne est bientôt faite
prisonnière et remise aux Anglais. Elle sera brûlée sur un bûcher.

LA RENAISSANCE

LE LIVRE IMPRIMÉ

Gutenberg a inventé l'imprimerie : il a pensé à fabriquer des lettres en plomb, à les recouvrir d'encre et à les presser sur du papier.

L'ouvrier recouvre son tamis (a) avec de la pâte à papier. Il veut obtenir une belle feuille fine et plate. Il la fera presser pour évacuer l'eau. Elle sera ensuite mise à sécher. Sur le cadre de bois (b), les lettres de plomb sont alignées et bien serrées pour former des mots.

Avec la presse (a), l'ouvrier a comprimé très fort la feuille de papier contre les lettres de plomb recouvertes d'encre (b). Les mots sont imprimés sur la feuille (c).

CHRISTOPHE COLOMB EN AMÉRIQUE

À l'époque, les savants pensaient que la Terre était ronde. Christophe Colomb choisit d'aller en Inde... en traversant l'océan Atlantique.

Le roi et la reine d'Espagne donnent trois vaisseaux : la Santa Maria, la Pinta et la Nina.
Les marins espèrent trouver de l'or, mais ils ont peur : le voyage dure plus longtemps que prévu !
Christophe Colomb se repère en observant les étoiles.

Le 12 octobre 1492, Christophe Colomb débarque sur une île. Les habitants l'accueillent bien, mais les marins sont déçus : ils ne trouvent pas d'or !
Christophe Colomb comprend qu'il n'est pas en Inde, mais qu'il a découvert un nouveau continent qui s'appellera l'Amérique.

LES EXPLORATEURS

Des Espagnols partirent pour explorer et conquérir l'Amérique.
Cortés arriva au Mexique et Pizzaro en Amérique du Sud.

En voyant Cortés, les Aztèques pensent qu'il s'agit d'un Dieu. Beaucoup meurent de maladie : ils ne résistent pas à la rougeole et à la variole, maladies apportées par les Européens. Aidé par certains habitants du Mexique, Cortés attaquera une grande cité aztèque.

Les Incas vivent dans les hautes montagnes de la cordillère des Andes. Ils bâtissent de grandes cités, comme celle du Machu Picchu. Ils appellent leur empereur « fils du dieu Soleil ». Mais Pizzaro le fait tuer, et c'est la fin de l'empire inca.

FRANÇOIS IER, ROI DE FRANCE

François Ier aimait s'entourer des personnages importants du royaume. Ils formaient sa cour et voyageaient avec lui.

François Ier apprécie les fêtes et aussi les longues discussions. Il invite à la cour des musiciens, des poètes, des hommes de science. Beaucoup sont italiens et apportent en France des idées nouvelles : c'est la Renaissance.

François Ier est sportif : il joue au jeu de paume. Une balle de cuir rebondit sur les raquettes des joueurs placés de part et d'autre du filet.

UN ROI CONQUÉRANT

François Ier a gagné de nombreuses batailles mais s'est fait beaucoup
d'ennemis, dont le roi d'Espagne et le roi d'Angleterre.

Dès le début de son
règne, François Ier
réussit à franchir
les Alpes pour
combattre ses
ennemis en Italie.
Il est vainqueur
à Marignan.
Il demande à être
fait chevalier par
le plus courageux
d'entre eux,
le célèbre Bayard.

Au camp du Drap d'or, François Ier rencontre le roi d'Angleterre.
Mais celui-ci préférera s'allier au roi d'Espagne.

UN GRAND CHASSEUR !

Même quand il partait à la guerre, le roi François Ier faisait étape
sur les terres de ses amis et chassait pour le plaisir !

Le roi pense que la chasse est un bon entraînement pour la guerre.
Il traque des cerfs, des loups et même des ours.

François Ier fait construire Chambord, le château aux 365 fenêtres,
au milieu d'une grande forêt pleine de gibier.

DE CHÂTEAU EN CHÂTEAU

Princes et ducs vivaient à la cour du roi pendant trois mois par an, puis ils repartaient dans leurs châteaux. Le roi aussi voyageait.

François Ier fait un grand tour de France qui dure deux ans ! Il va à la rencontre de son peuple et présente son fils, le dauphin.

Quand le roi fait étape dans un château, les serviteurs déchargent les coffres : ils sortent les vêtements et la vaisselle. Ils déroulent les tapisseries et les tendent sur les murs.

LA VIE PENDANT LA RENAISSANCE

Les courtisans appréciaient le raffinement dans les vêtements et la nourriture. Ils aimaient la lecture, la poésie et la musique.

Dans les châteaux, on sert du pâté de porc-épic, du melon venu d'Italie. Chacun prend la nourriture avec ses doigts et la pose sur une tranche de pain qui sert d'assiette. Cuillers et fourchettes n'existent pas. Les invités apportent leurs couteaux.

Les seigneurs et leurs épouses portent des habits précieux.

Les riches craignent les brigands qui rôdent tard le soir.

LÉONARD DE VINCI

François Ier a demandé à ce grand artiste italien de s'installer en France. Peintre, architecte, inventeur, il savait tout faire.

Léonard de Vinci a peint ce tableau en Italie. François Ier l'a acheté à la mort du peintre. Ce serait le portrait d'une dame italienne, Mona Lisa, surnommée « la Joconde », car son mari s'appelait Francesco del Giocondo.

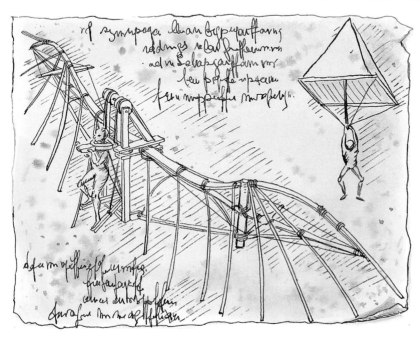

Léonard de Vinci a imaginé de nombreux objets : parachute, gilet de sauvetage, machine volante... Il ne les a pas réalisés. Il nous reste ses écrits et ses dessins, par exemple celui d'un homme sur lequel on a fixé des ailes.

LES SAMOURAÏS

Ces chevaliers japonais servaient le chef de guerre, le « shogun ».
Leurs fils suivaient les cours d'un maître dans une école d'armes.

Le signe de chaque clan est reproduit sur les étendards.

Seul dans la nature, ce jeune samouraï apprend à survivre.

Les jeunes s'entraînent à manier un sabre, un arc ou un bâton.

Les riches guerriers portent des armures superbement décorées.

Les riches samouraïs possédaient leur propre armée et de vastes domaines sur lesquels les paysans récoltaient le riz.

Les samouraïs les plus puissants, les daimyos, font construire de grands châteaux. Les soldats installent leurs maisons tout près.

Parfois, les daimyos se font la guerre entre eux. Paysans et artisans se réfugient alors dans le château avec leurs familles.

DE HENRI IV
À LA RÉVOLUTION
FRANÇAISE
(1589 - 1789)

LE BON ROI HENRI IV

La France était ravagée par les guerres. Henri IV ramena la paix et réduisit les impôts. Il a encouragé l'agriculture et le commerce.

Henri IV aime ses enfants… et son peuple. Il souhaite que chacun ait assez d'argent pour manger de la poule au pot le dimanche.

Henri IV a grandi dans une famille de religion protestante. Pour devenir roi de France, il s'est converti à la religion catholique et a mis fin aux guerres de religion. Il est mort assassiné par Ravaillac.

AU TEMPS DES MOUSQUETAIRES

Le mousquetaire avait une tunique bleue décorée d'une croix blanche. Son chapeau était orné d'un panache. Il portait toujours son épée.

Lorsqu'il fait la guerre, le mousquetaire utilise un fusil appelé « mousquet ». Il le pose sur une fourche avant d'allumer la mèche.

Les mousquetaires font partie de l'armée du roi Louis XIII. Ils sont chargés de protéger le roi et de faire régner l'ordre dans Paris.

LE ROI LOUIS XIV À VERSAILLES

Louis XIV a fait construire un immense palais entouré de jardins magnifiques. Les nobles du royaume rêvaient d'y vivre auprès du roi.

Louis XIV a fait appel aux meilleurs architectes et jardiniers. Voici le palais tel qu'il était à sa mort. Les travaux ont duré quarante ans !

Lors des grandes réceptions, seul le roi garde son chapeau sur la tête. Le souverain aime accueillir ses visiteurs en haut du grand escalier appelé « escalier du roi ».

LA JOURNÉE DU ROI LOUIS XIV

Chaque jour, les courtisans se pressaient pour assister au lever du roi, à ses repas et à son coucher. Tout devenait spectacle !

Le grand chambellan écarte les rideaux du lit et réveille le roi.

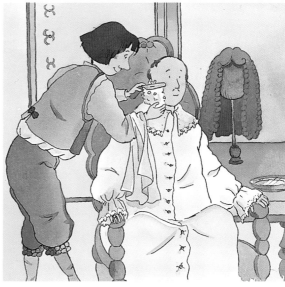

Le barbier rase le roi. Puis il lui propose un choix de perruques.

Le maître de la garde-robe présente ses vêtements au roi.

Plus tard, le roi assiste à la messe, entouré de ses courtisans.

Le règne de Louis XIV a été le plus long de l'histoire de France.
Ses petits-enfants sont morts avant lui. Son arrière-petit-fils lui a succédé.

Après le déjeuner, le roi part
en promenade ou à la chasse.

Puis le roi se rend à son bureau
et travaille avec ses conseillers.

Le roi rend visite à la reine et à ses
enfants dans leur appartement.

Avant le souper, le roi joue
au billard avec les courtisans.

DE GRANDS SPECTACLES

Louis XIV aimait éblouir ses invités en organisant de belles fêtes sur le Grand Canal et dans la galerie des Glaces.

Les courtisans dansent le menuet dans l'immense galerie des Glaces. Les hautes fenêtres font face à un mur garni de miroirs !

Le roi imagine de grands spectacles qui distraient les courtisans. Il aime se promener en bateau sur le Grand Canal en compagnie de ses invités. Un orchestre joue de la musique, des lanternes éclairent le canal. Un grand feu d'artifice clôt la soirée.

LE THÉÂTRE DE MOLIÈRE

Au temps de Louis XIV, les comédiens étaient pauvres.
Ils demandaient l'autorisation de jouer sur les places des villages.

La troupe de Molière est rentrée à Paris. Le roi assiste à leurs spectacles
et s'amuse beaucoup. Ils joueront à Versailles.

Voici quelques personnages du théâtre de Molière : le malade imaginaire,
la précieuse ridicule, Harpagon qui veut garder son or.

LES PIRATES

Ces marins attaquaient les navires pour voler les marchandises.
S'ils étaient pris, ils étaient condamnés à mort !

Lorsqu'ils sont près du navire,
les pirates hissent leur drapeau.

Le chef des pirates demande au
capitaine ennemi de se rendre.

Après s'être emparés du bateau,
les pirates se partagent le trésor.

Les pirates enterrent leur trésor
en secret sur une île déserte.

LES CORSAIRES DU ROI

Ces marins attaquaient tout navire ennemi de la France. Le roi les y autorisait s'ils lui remettaient une part de leur butin.

Le corsaire fait bombarder le grand navire espagnol. Les marins ne pourront plus le manœuvrer et seront faits prisonniers.

Le célèbre Duguay-Trouin est capitaine dans la Marine royale.

L'équipage tire des coups de canon et se lance à l'abordage.

TRANSFORME-TOI EN PIRATE !

Matériel : 1 rouleau de papier crépon rouge et 1 noir – 1 crayon de maquillage noir –
1 tee-shirt marin – 1 pantalon – 1 morceau de ficelle assez grand pour
faire le tour de ta taille et de ta tête.
Enfile le tee-shirt. Mets le pantalon, retrousse-le à la taille et attache-le avec
la ficelle. Retrousse les bas des jambes jusqu'au-dessous des genoux.

C) Le foulard.

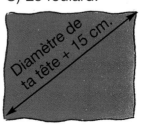

A) Dessine la fausse
balafre et la fausse
barbe avec
le crayon de
maquillage.

Découpe un rectangle de papier crépon
rouge au format indiqué. Plie-le pour faire
un triangle.

B) Demande à
un adulte de
dessiner sur
ton bras cette tête
de mort, symbole
des pirates, avec
le crayon de
maquillage.

Attache le foulard
sur ta tête et fais
un nœud.

D) Découpe un rectangle de
crépon noir de 6 x 12 cm.
Plie-le en 2 et découpe un rond
en prenant soin de ne pas tout
découper, comme sur le modèle.
Place la ficelle et colle les 2 ronds
ensemble.

Voilà une tenue
idéale pour jouer
aux pirates !

LOUIS XVI ET MARIE-ANTOINETTE

À l'âge de quatorze ans, la princesse autrichienne Marie-Antoinette arriva à la cour de France afin d'épouser le futur roi Louis XVI.

Louis XVI fait construire le « hameau de la reine » dans le parc du château de Versailles.

Voici la reine avec trois de ses enfants. À droite, Madame Royale, que sa maman surnomme « Mousseline ». Le bébé appelé « Chou d'Amour » par sa maman, sera emprisonné avec ses parents et sa sœur. Sa mort reste un mystère. À gauche, le fils aîné. Il mourra au moment de la Révolution.

LA PRISE DE LA BASTILLE

En juillet 1789, la colère grondait à Paris et une partie du peuple de la capitale commença à s'agiter.

Le 14 juillet, la révolte éclate. Pour faire face aux soldats, les émeutiers ont des armes mais pas de poudre.

Ils vont en trouver dans les caves d'une ancienne prison transformée en asile de fous, la Bastille. Les gardiens ouvrent les portes.

Les révolutionnaires portaient la cocarde tricolore : le blanc était la couleur du roi, le bleu et le rouge sont les couleurs de Paris.

Les révolutionnaires entrent dans la forteresse et tuent les gardiens. Dans les souterrains, ils trouvent de la poudre à canon.

Dès le lendemain, les insurgés démolissent la Bastille pierre par pierre. Depuis, chaque année, les Français fêtent le 14 Juillet.

LE ROI RENTRE À PARIS !

Les révolutionnaires se rendirent ensuite au château de Versailles.
Ils demandèrent au roi de venir s'installer à Paris.

Le roi accepte de quitter Versailles et de s'installer dans la capitale.
Il habitera aves sa famille au palais des Tuileries.

Comme le roi a fait distribuer de la farine, on surnomme le roi, la reine
et le dauphin « le boulanger, la boulangère et le petit mitron ».

LES DERNIERS JOURS DU ROI LOUIS XVI

Le roi était sous haute surveillance. On craignait qu'il demande aux princes étrangers de venir à son secours avec leurs armées.

Le roi s'est enfui. Mais il est reconnu à Varennes et ramené de force. Les révolutionnaires se sentent trahis et ne lui font plus confiance.

À Varennes, la reine a eu très peur. On raconte que ses cheveux blonds sont devenus tout blancs ! Le roi est accusé de ne pas accepter la Révolution. Il est condamné à mort. La reine sera également guillotinée.

XIXe
et XXe SIÈCLES

NAPOLÉON BONAPARTE

Il est né en Corse. Malgré sa petite taille, il a toujours fait preuve de courage. Après la Révolution, il devint un grand chef militaire.

Devenu général, Bonaparte remporte de nombreuses victoires. Il prend le pouvoir. Napoléon est sacré empereur des Français. Il couronne sa femme qui devient l'impératrice Joséphine.

LA GRANDE ARMÉE

Napoléon voulait agrandir son empire. Il avait besoin de nombreux soldats, les « grognards ». Il partageait leur campement et les encourageait.

Les chariots sont remplis de nourriture et de paille.

Les fantassins se déplacent à pied, leur sac sur le dos.

La paille servira de lit pour les soldats… et les chevaux !

Les canons sont posés sur des charrettes tirées par des chevaux.

Napoléon est suivi de ses officiers et de sa Garde.

EN AMÉRIQUE, LES INDIENS DES PLAINES

Avant l'arrivée des « Blancs », ils montaient leurs tipis non loin des troupeaux de bisons et les suivaient dans leurs déplacements.

Les hommes partent à la chasse. Ils tuent les bisons avec des flèches ou des lances. Plus tard, ils se serviront des fusils des Blancs. Dès l'enfance, les garçons apprennent avec leur père à tirer à l'arc et à monter à cheval.

La peau de bison sert à la confection des tipis, des canoës et des vêtements. La viande est mangée tout de suite ou mise à sécher pour l'hiver. Les filles apprennent à cuisiner et à préparer les peaux en imitant leurs mères, les « squaws ».

LA CONQUÊTE DE L'OUEST

Les Blancs voulaient les terres pour eux seuls. Ils se servaient de leurs armes à feu pour chasser les Indiens hors de leurs territoires.

Les pionniers voyagent dans des chariots tirés par des bœufs. Ils transportent tous leurs biens : outils, meubles, nourriture. Ils vont vers l'Ouest, où ils espèrent trouver de bonnes terres à cultiver.

Les Blancs tuent les bisons. Les Indiens se battent pour conserver leurs terres et leur nourriture. Bientôt, vaincus par la guerre et la maladie, ils vivront prisonniers dans des réserves installées sur des terres pauvres.

LES JEUX OLYMPIQUES MODERNES

En 1896, les Jeux ont lieu à Athènes. Le stade ressemble à celui d'Olympie, la ville où se déroulèrent les Jeux de la Grèce antique.

Pierre de Coubertin a l'idée d'organiser les Jeux olympiques. Les cinq anneaux entrelacés représentent les cinq continents.

Les meilleurs athlètes de différents pays sont invités à s'affronter, tout en gardant l'esprit sportif : l'essentiel est de participer. Le flambeau arrive de la ville d'Olympie. Il sert à allumer la vasque où la flamme brûlera pendant la durée des Jeux.

DANS UN VILLAGE IL Y A 100 ANS

L'école communale était créée depuis peu. Pendant que les enfants écoutaient le maître, les villageois attendaient le colporteur.

Le colporteur a marché longtemps avant d'arriver au village. Dans sa hotte, il porte des cartes à jouer, des lunettes, du papier à lettres... mais surtout des livres illustrés. Certains des villageois ne savent pas lire. Ils préfèrent les livres qui ont de belles images.

Voici l'école des garçons. Maître et élèves portent une blouse grise.

Le soir, les enfants aident leurs parents aux travaux de la ferme.

À cette époque, les parents avaient souvent au moins cinq enfants. Ils vivaient parfois dans la même maison que les grands-parents.

La maman fait bouillir le linge dans une lessiveuse et le rince dans une grande cuve de bois. La grand-mère plume une oie avant de la cuire.

Les enfants rapportent le lait de la ferme.

Le grand-père coupe le bois pour l'hiver.

La grand-mère tricote pulls et écharpes.

À LA VILLE

Chaque semaine, les paysans vendaient leurs produits au marché de la ville. Les citadins prirent l'habitude de voyager en train.

Une paysanne apporte ses couteaux au rémouleur : il les affûte pour qu'ils coupent mieux. Un paysan transporte des poules à vendre.

Depuis peu, une gare a été construite : les voyageurs descendent des wagons tirés par l'une des premières locomotives à vapeur.

UN JEUNE MINEUR

Beaucoup d'enfants quittaient l'école très jeune, comme ce jeune garçon qui travaillait à la mine.

Les mineurs descendent chaque jour au fond de la mine.

Dans la galerie, le cheval tire un wagonnet plein de charbon.

Les jeunes mineurs portent les lampes, s'occupent des chevaux ou encore vont chercher le charbon dans des endroits étroits.

LA TOUR EIFFEL

En 1889, la « dame de fer » était le plus haut monument du monde.
Elle porte le nom de son constructeur : l'ingénieur Gustave Eiffel.

Les piliers sont édifiés sur des fondations très solides.
Les ouvriers réalisent un véritable puzzle avec les poutrelles.

Terminée, la Tour Eiffel
a trois étages.

Les poutrelles métalliques sont fabriquées, assemblées,
puis chargées sur des charrettes. Des chevaux les tirent
jusqu'au chantier.

Les visiteurs montent
les marches ou
prennent l'ascenseur.

LA GUERRE DE 1914-1918

Pendant quatre longues années, la France, la Russie et l'Angleterre se battirent contre l'Allemagne et l'Autriche-Hongrie.

C'est la « guerre des tranchées » : les soldats creusent des fossés dans lesquels ils vivent à l'abri des tirs ennemis.

Blessé lors d'un combat, ce soldat a été ramené dans la tranchée puis conduit vers un poste de secours, où il est soigné.

Les hommes jeunes sont partis faire la guerre. Les femmes les remplacent : elles travaillent à l'usine, conduisent bus et métro.

En 1917, les États-Unis déclarèrent à leur tour la guerre à l'Allemagne.
Leurs soldats arrivèrent en France. Ce fut la fin de la « Grande Guerre ».

Les femmes envoient des lettres aux soldats pour les réconforter.
Elles y joignent des couvertures et de la nourriture.

Les soldats ont des permissions pour voir leur famille. Les instituteurs
à la retraite remplacent les plus jeunes partis à la guerre.

Le 11 novembre 1918,
les représentants de
l'Allemagne vaincue signent
l'armistice dans le wagon
qui sert de bureau
de commandement
au maréchal français, Foch.

LES PREMIERS PILOTES « FACTEURS »

Ces anciens pilotes de guerre transportaient le courrier vers l'Afrique ou l'Amérique. Les paysages leur servaient de repère.

Le courrier est chargé dans le Bréguet, un avion à deux places.

Les pilotes ne sont à l'abri ni de la pluie, ni des coups de soleil !

Le fuselage de l'avion est en acier, son hélice est en bois.

Les pilotes craignent que l'avion s'écrase en plein désert !

LES PREMIERS CONGÉS PAYÉS

C'est en été 1936 que, pour la première fois, les ouvriers ont été payés pendant leurs vacances. Ils ont pu partir en famille !

Les ouvriers n'ont pas de voiture. Certains accrochent une remorque à leur vélo ou à leur tandem. D'autres prennent le train : ils ont droit à un billet moins cher pour leur départ en vacances.

Enfants et parents découvrent souvent la mer pour la première fois, alors ils ne savent pas nager. C'est le temps des premières colonies de vacances. Les enfants viennent profiter du bon air, même si leurs familles restent en ville.

LA GUERRE DE 1939-1945

Hitler était au pouvoir en Allemagne. Quand il commanda à son armée d'envahir la Pologne, Français et Anglais lui déclarèrent la guerre.

Hitler veut dominer le monde. Il est protégé par ses gardes, les SS, qui lui jurent fidélité. Il constitue une armée puissante, équipée d'avions et de chars d'assaut. La croix gammée noire qui orne les drapeaux est le symbole de ses amis du parti nazi.

Cet avion anglais du début de la guerre bombarde un navire allemand.

Les Russes, les Japonais, les Américains entrent en guerre.

LA RÉSISTANCE

Le gouvernement français était dirigé par le maréchal Pétain. Mais des hommes organisèrent la résistance : ils voulaient chasser les Allemands.

Les amis des résistants écoutent la radio anglaise. Parfois, ils entendent la voix du général de Gaulle, qui parle depuis Londres.

Des résistants font dérailler un train qui transporte des Allemands. Ils risquent de se faire prendre par la police allemande, la Gestapo.

LA VIE SOUS L'OCCUPATION ALLEMANDE

La vie est difficile pour la plupart des Français. Le charbon manque pour se chauffer. Il faut obtenir des tickets pour acheter du pain.

Cette dame ne peut acheter que la marchandise notée sur le ticket.

L'enfant dort avec des chaussettes et un bonnet pour avoir chaud.

Des avions ont largué des bombes : la ville est détruite.

Les Juifs portent une étoile jaune. Hitler veut les éliminer.

6 JUIN 1944 : LE DÉBARQUEMENT

Les Allemands craignaient un débarquement et, pour se protéger,
ils construisirent des fortifications, les blockhaus, le long des côtes.

Le « jour J », les Alliés débarquent sur les plages normandes. Sous
les tirs des Allemands, des milliers d'hommes gagnent les côtes.

Les parachutistes sautent des avions. Peu à peu, les troupes alliées
réussissent à repousser les Allemands. C'est la Libération !

LE MONDE APRÈS LA GUERRE

Les pays de l'Est passèrent sous la domination de l'Union soviétique.
Les pays de l'Ouest acceptèrent l'aide des États-Unis.

Winston Churchill   Franklin D. Roosevelt   Joseph Staline

Berlin est bombardée, l'Allemagne est vaincue. Les dirigeants de l'Angleterre, des États-Unis et de l'URSS se réunissent pour organiser la fin de cette guerre mondiale.

La capitale allemande, Berlin, est séparée en deux. Les habitants fuient les quartiers Est, contrôlés par les Russes, pour gagner les quartiers Ouest, où ils espèrent mieux vivre. Alors, les Russes construisent un mur immense, gardé par des soldats.

LES ANNÉES D'APRÈS-GUERRE

Peu à peu, l'électricité était installée dans les maisons. Les familles découvrirent le réfrigérateur, le lave-linge... et la télévision.

(1)

(2)

1- Avec le lave-linge, plus besoin de frotter pour enlever les taches.

2- Les jeunes s'habillent avec des « blue-jeans ». C'est la mode !

(3)

(4)

3- La maman ne fait plus de conserves : elle les achète.

4- Sur sa guitare, le chanteur joue un air de « rock'n'roll ».

(5)

(6)

5- Cet enfant va regarder une émission de télévision en noir et blanc.

6- Cette jeune femme écoute un disque 33 tours sur son électrophone.

DES CHANGEMENTS DANS LE PAYSAGE

Les hommes inventèrent de nouvelles façons de se loger, de voyager, de travailler. Ils construisirent des autoroutes et de grandes cités.

De nombreuses personnes achètent leur première voiture. Il faut alors construire des autoroutes pour faciliter les déplacements.

De plus en plus de paysans quittent la campagne pour travailler en usine, près des grandes villes.
Ils se logent dans les banlieues.
De grands immeubles apparaissent près de petits pavillons.

LA CONQUÊTE DE L'ESPACE

Des fusées de plus en plus gigantesques emportent dans l'espace
des satellites, des robots, et parfois des hommes !

Pour la première fois, un homme marche
sur la Lune. C'est l'Américain Neil
Armstrong, le 21 juillet 1969.

La fusée européenne Ariane décolle de
Guyane. Elle va mettre des satellites en
orbite.

Les satellites permettent de transmettre
des programmes de télévision et
d'observer la Terre.

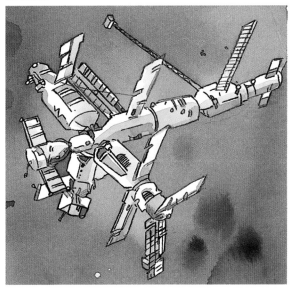

Le vaisseau spatial s'arrime à la station
Mir. Des cosmonautes se relaient à bord.

UNE VOLONTÉ DE FAIRE L'EUROPE !

Les pays européens décidèrent de ne plus se faire la guerre.
Mais l'Allemagne restait partagée en deux, comme sa capitale, Berlin.

Six pays forment
le « Marché
commun » :
les Pays-Bas,
la Belgique,
l'Allemagne,
le Luxembourg,
la France et l'Italie.
Il devient très facile
de circuler entre
ces différents pays.
Les camions
n'attendent plus
des heures aux
frontières !

Vingt-huit ans
après la construction
du mur de Berlin,
les deux Allemagnes
font la paix, et
le mur est enfin
abattu.
C'est la fête
dans la ville.
Berlin redevient
la capitale de
toute l'Allemagne.

UNE NOUVELLE MONNAIE, L'EURO !

Dans leur porte-monnaie, les Français ont des francs, les Italiens des lires, les Allemands des marks… Bientôt, tous auront des euros.

Quand nous voyagerons dans les pays qui adoptent la nouvelle monnaie, nous utiliserons les mêmes pièces et les mêmes billets. Jusqu'à présent, il fallait faire des échanges et beaucoup de calculs !

Sur ce billet, le mot « euro » est écrit en alphabet latin et en alphabet grec. Le drapeau aux douze étoiles symbolise l'Europe. La carte de l'Europe est dessinée sur l'autre face du billet. Sur le côté face des pièces, chaque pays choisira un dessin qui le représente.

POUR VÉRIFIER TES CONNAISSANCES

Regarde bien ces images, que tu as vues dans ton imagerie,
et essaie de répondre aux questions.

Cette muraille a-t-elle été construite aux États-Unis ou en Chine ?

Ces guerriers sont-ils des Romains ou des Vikings ?

À qui appartient ce drapeau ?
À des pirates ou à des cow-boys ?

Qui est-ce ? Jeanne d'Arc ou Marie-Antoinette ?

E

Toutankhamon est-il devenu pharaon très jeune ou très vieux ?

F

Ce conducteur de char est-il un Romain ou un Gaulois ?

G

Louis XIV a-t-il fait construire une cathédrale ou un grand château ?

H

Est-ce que la Bastille était un palais ou une prison ?